Mon Pingouin de Patagonie

Sylvie Rouch

Mélanie Allag

l'élan vert

Le matin, Frida se lève d'un bond,
s'étire, chasse le sommeil, cherche ses chaussons,
court ici ou là et revient parfois, les cheveux tressés,
la bouche encore pleine...

Le matin, elle m'oublie
pour une moufle égarée,
un fil à scoubidou,
un secret de papier,
un jupon de fée,
un manteau de reine...

Alors moi, **son pingouin** de laine,
recousu de partout, roi de rien du tout,
les yeux en boutons rivés au plafond,
j'ai le cœur en peine.

Prisonnier de son lit,
moi, **son pingouin** de **nuit**,
je m'offre un habit neuf :
queue-de-pie, yeux de porcelaine…
Et je pars avec elle !

Nous visitons Paris.
Sur les marches de l'Opéra,
elle joue les petits rats
et fait des sauts de chat.
À bord d'un bateau-mouche,
nous remontons la Seine.
Nous comptons les fourmis
du haut de la tour Eiffel.

Les gens nous sourient,
les Japonaises nous photographient.
Je suis son favori, **son pingouin** de compagnie !

Elle me présente à ses amis
et leur dit que je suis
son pingouin de Patagonie !

Moi, son **pingouin** de laine,
caché dans ses draps fleuris,
j'attends qu'elle revienne…

... qu'elle envoie valser ses chaussons,
repousse l'édredon et me cherche
à tâtons, qu'elle se frotte à mon bec,
glisse sa main sous mon aile,
me chatouille la laine...

... qu'elle trouve le sommeil
en me chantant tout bas :
« mon pingouin à moi ».